This
BLOOMSBURY Activity Book
belongs to:

Find the sticker
French words
for each page.

BLOOMSBURY
Activity Books

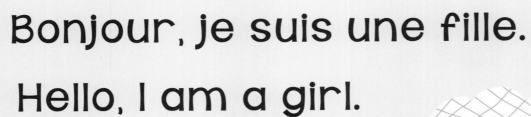

Bonjour, je suis une fille.

Hello, I am a girl.

girl

boy

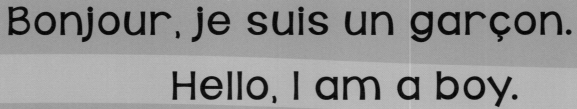

Bonjour, je suis un garçon.

Hello, I am a boy.

Mes vêtements
My clothes

socks

trousers

dress

t-shirt

shorts

hat

jacket

cardigan

baker

butcher

house

woman

dog

bicycle

blue car

4

Dans la rue

cafe

restaurant

man

son

yellow car

In the street

red bus

5

Des choses qui roulent

scooter

fire engine

tractor

lorry

police car

helicopter

Things that go

ambulance

camper van

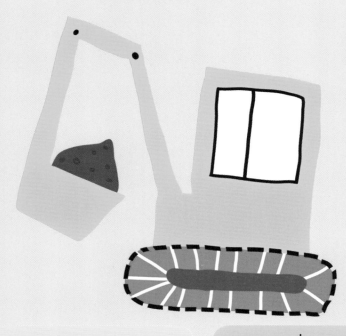

digger

airplane

train

Dans le sac à main de ma mère
In my mother's handbag

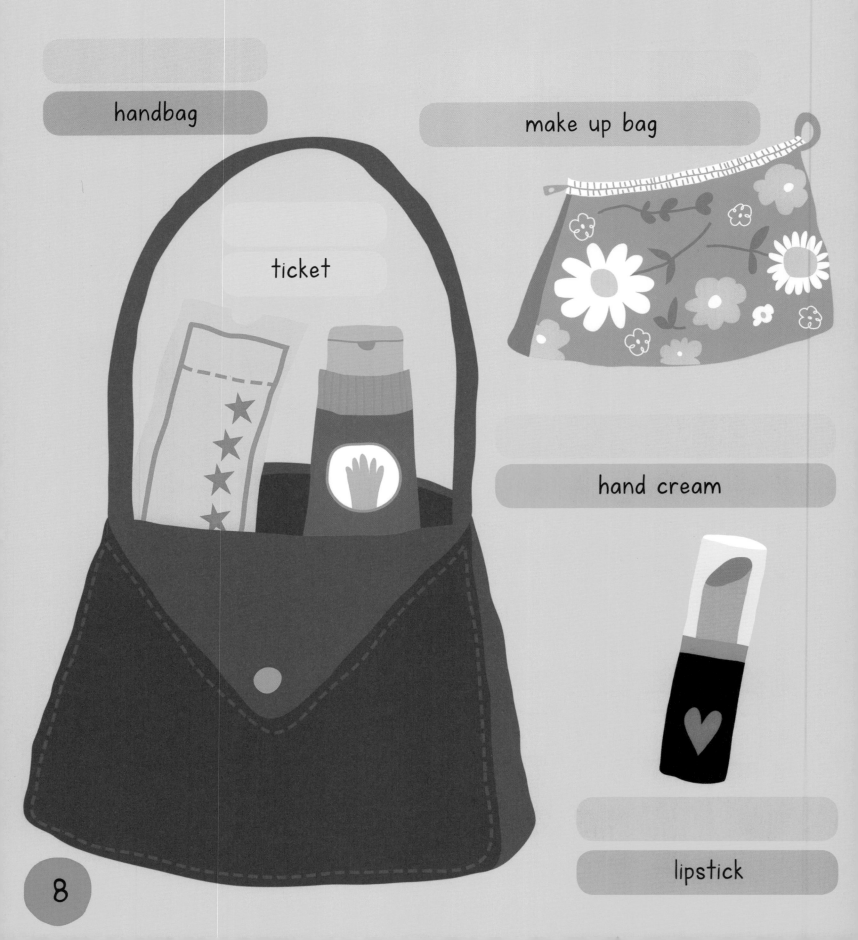

handbag

make up bag

ticket

hand cream

lipstick

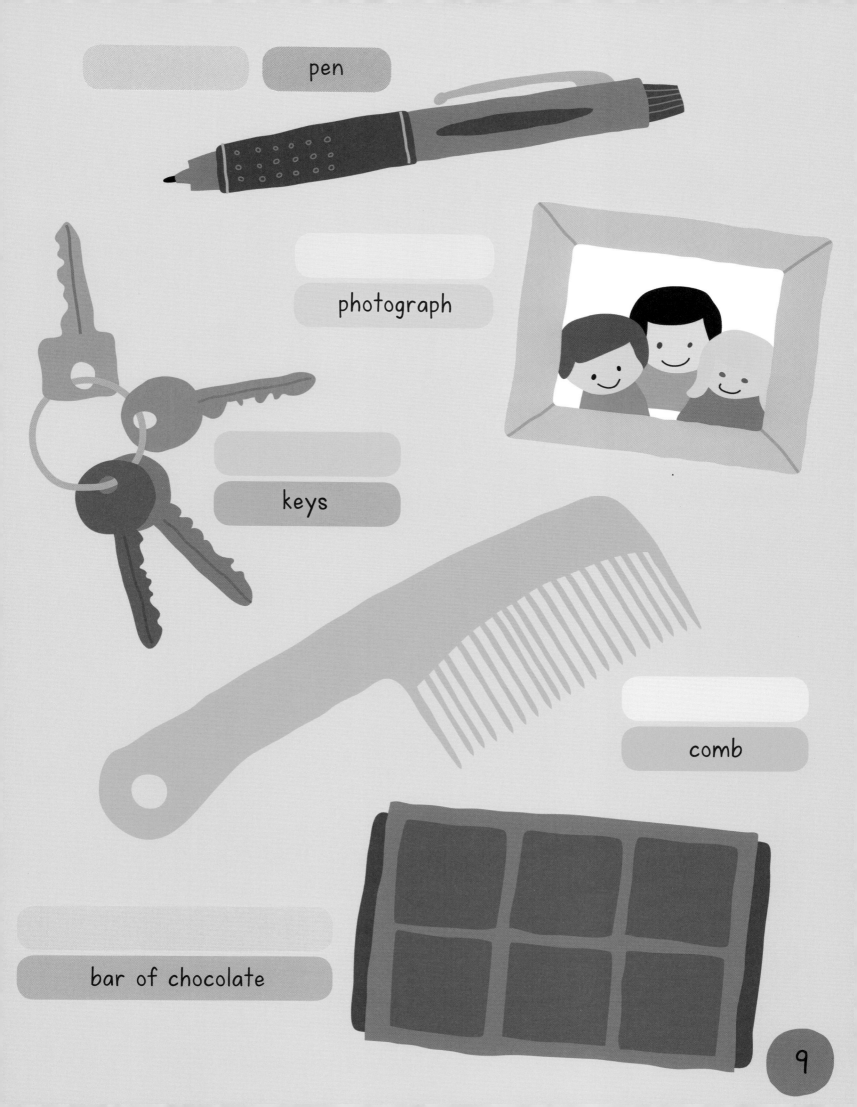

pen

photograph

keys

comb

bar of chocolate

Dans le jardin

bird

watering can

snail

In the garden

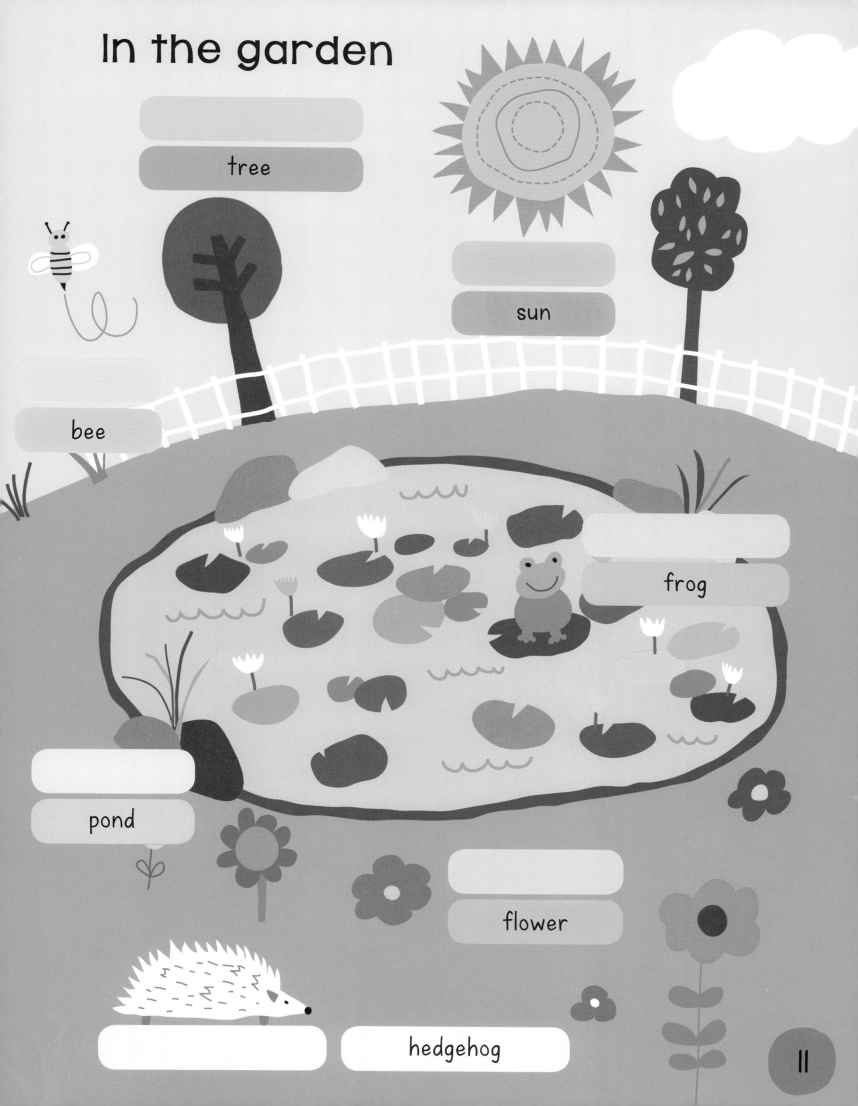

tree

sun

bee

frog

pond

flower

hedgehog

Des animaux partout!

cat

elephant

camel

owl

kangaroo

giraffe

crocodile

Animals, animals everywhere!

tiger

dog

fox

horse

lion

snake

13

I know my French words

Draw a line to match the word to the picture.

le train

l'arbre

l'escargot

la chouette

les chaussettes

le vélo

la pelleteuse

l'avion

le cheval

le sac à main

le soleil

les clés

la mare

la dame

le T-shirt

le tigre

l'homme

la fleur

15

Au café

menu

counter

cup

pizza

Pages 2-3

le chapeau

le garçon

la veste

les chaussettes

le short

le cardigan

le T-shirt

le pantalon

la robe

la fille

Pages 4-5

le bus rouge

la voiture jaune

la maison

la dame

le boucher

le boulanger

le chien

l'homme

le café

le vélo

le fils

le restaurant

la voiture bleue

Pages 6-7

l'hélicoptère

le scooter

l'ambulance

le camion

le train

l'avion

le tracteur

la caravane

la pelleteuse

la voiture de police

le camion de pompier

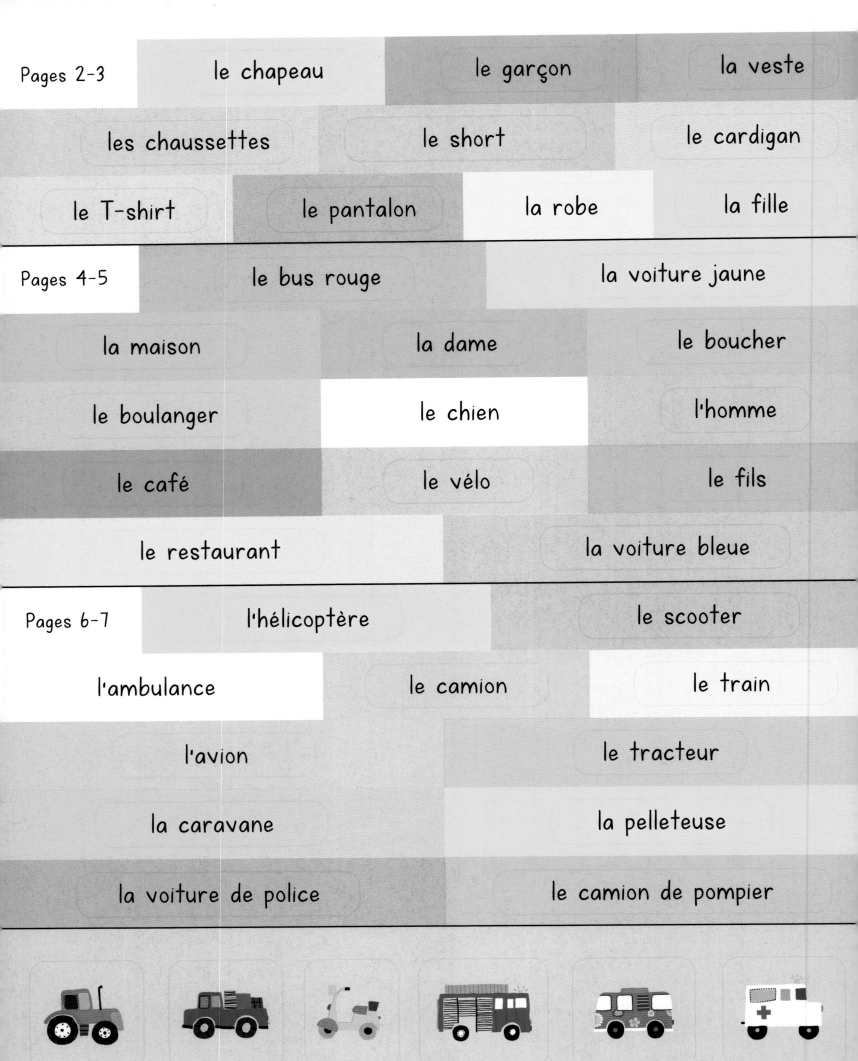

Pages 16-17 continued	les cupcakes	la pizza
Pages 18-19	le cheval à bascule	les balançoires

le ballon de football

le portique d'escalade

la bascule	les enfants	le toboggan

le bac à sable

la poussette

Pages 20-21	un	deux	trois
quatre	cinq	six	sept
huit	neuf	dix	

Pages 22-23	la salle de bain	le toit
le lavabo	la cuisinière	le canapé
le tapis	la fenêtre	la chaise
la salle à manger	le lit	la porte
la table	la cuisine	la chambre

Pages 24-25	l'horloge	l'affiche	l'image
le crayon de papier	le bureau	les élèves	

Pages 24-25 continued

l'institutrice/l'instituteur

le globe

le chevalet

la règle

les livres

l'ordinateur

le tambour

Pages 26-27

violet

noir

rose

jaune

rouge

orange

bleu

vert

gris

blanc

Pages 28-29

se laver les dents

les carreaux

la brosse à cheveux

le dentifrice

l'éponge

le miroir

le pyjama

le shampooing

la brosse à dents

le placard

la baignoire

les toilettes

Page 32

les guirlandes électriques

la couette

les chaussons

le lit superposé

les jouets

In the café

banana

fruit

jug

baguette

cupcakes

floor

Au parc

rocking horse

climbing frame

sand pit

buggy

children

In the park

slide

see-saw

swings

football

Comptons!

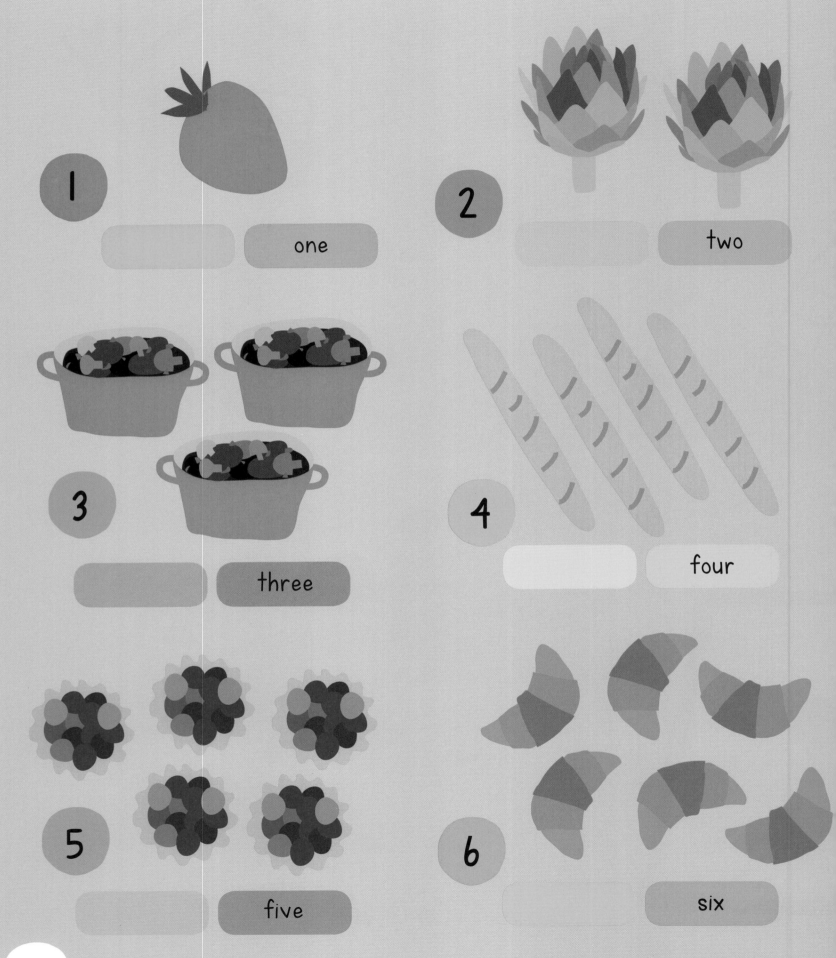

1   one

2   two

3   three

4   four

5   five

6   six

Numbers and counting!

7 [_____] seven

8 [_____] eight

9 [_____] nine

10 [_____] ten

Je sais compter jusqu'à 10!

I can count to 10!

Dans la maison

bathroom

Sink

rug

living room

table

sofa

In the house

roof

bedroom

window

bed

kitchen

cooker

door

chair

23

clock

teacher

poster

desk

pupils

Dans la salle de classe

pencil

globe

rule

picture

drum

books

computer

easel

In the classroom

25

Les couleurs

yellow

green

blue

grey

pink

orange

Colours

red

purple

black

white

$$2 + 2 = \rule{1cm}{0.4pt}$$
$$3 + 3 = \rule{1cm}{0.4pt}$$
$$4 + 4 = \rule{1cm}{0.4pt}$$

J'apprends mes couleurs!

I can learn my colours!

Dans la salle de bain
In the bathroom

mirror

cleaning teeth

pyjamas

cupboard

tiles

toothbrush

sponge

toilet

hairbrush

Bath

shampoo

toothpaste

I know my French words

Draw a line to match the word to the picture.

les fruits

les livres

le ballon de football

le lit

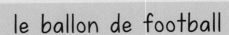

l'éponge

le tambour

la pizza

le portique d'escalade

la fenêtre

l'affiche

le bac à sable

la banane

le shampooing

le globe

la table

la brosse à dents

la poussette

le lavabo

Au lit!
Off to bed!

bunk bed

quilt

fairy lights

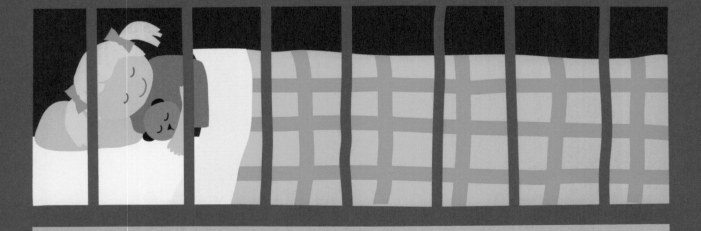

slippers

toys